L'UNIVERS

L'UNIVERS

L'Univers est né il y a 14 milliards d'années environ d'une gigantesque explosion appelée big bang, qui signifie grand boum.

C'est un ensemble de galaxies qui s'éloignent sans cesse les unes des autres. Il est en perpétuel mouvement.

LES GALAXIES

Une galaxie est un ensemble d'étoiles, de planètes, de comètes, de nuages de gaz et de poussières qui tournent autour d'un même cœur.

Voici une galaxie spirale.
Elle est très lumineuse.

L'image ci-dessus représente une galaxie spirale barrée.

Galaxie elliptique

Le noyau de cette galaxie, entouré d'un halo, est très brillant.

Dans les nuages bleus naissent des groupes d'étoiles.

COLLISION DE GALAXIES

Il arrive qu'une galaxie massive attire à elle une galaxie plus petite. Peu à peu, étoiles et nuages de gaz vont tourner autour d'un même noyau.

Ci-dessus, on distingue les noyaux de deux galaxies spirales.

Un bras de la galaxie massive semble attraper la plus petite.

Les bras en spirale des deux galaxies s'entremêlent.

Dans la nouvelle galaxie, de forme irrégulière, des étoiles vont naître.

LA VOIE LACTÉE

C'est ainsi que nous avons nommé notre Galaxie, car de notre planète nous ne distinguons qu'une longue traînée blanche comme le lait.

Soleil

Les scientifiques pensent que la Voie lactée est une galaxie spirale barrée. Notre système solaire se trouve dans l'un de ses bras, très loin de son centre. Il faut 225 millions d'années à notre système solaire pour faire le tour de la Voie lactée !

Vue de profil, notre Galaxie a la forme d'un disque dont le centre serait enflé. Elle contient 200 à 400 milliards d'étoiles.

LES ÉTOILES

À l'intérieur des galaxies, les étoiles naissent en groupes dans d'immenses nuages de poussières et de gaz, les nébuleuses.

Quand le ciel est bien dégagé, la nuit, on peut y admirer des milliers d'étoiles. Ce sont des boules de gaz brûlantes qui émettent leur propre lumière. Elles sont de couleurs très variées. Leur éclat dépend de la quantité de lumière qu'elles produisent et de leur distance par rapport à la Terre.

Comme l'homme, les étoiles naissent, vivent et meurent. Elles brillent pendant des milliards d'années (1), puis gonflent (2) jusqu'à devenir des géantes rouges (3). Elles se débarrassent de leurs couches extérieures et deviennent enfin des naines blanches (4), toutes petites, avant de s'éteindre.

LES CONSTELLATIONS

Pour se repérer dans le ciel, les astronomes ont imaginé que certaines étoiles pouvaient être reliées les unes aux autres. Ce sont les constellations.

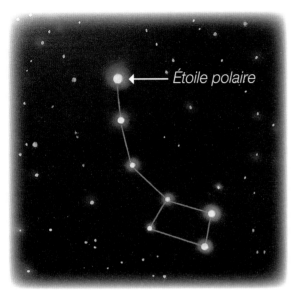

Étoile polaire

La Petite Ourse, avec l'étoile Polaire, a une forme de casserole.

Si notre œil relie ces étoiles, il distingue comme un cygne en vol.

La constellation de Pégase est repérable à son grand carré.

La constellation du Dragon a la forme d'un serpent.

LA NAISSANCE DU SOLEIL

Le Soleil est né il y a 5 milliards d'années dans un immense nuage
de gaz et de poussières qui s'est mis à tourner sur lui-même très vite.

Peu à peu, la matière du nuage
s'est rassemblée au centre.

Elle s'est réchauffée et
une lumière rouge est apparue.

Le centre, très chaud, s'est mis à briller de plus en plus : le Soleil est né.
Autour de lui, les poussières et les gaz restants ont continué de tourner.

LA FORMATION DES PLANÈTES

C'est dans ce disque qui tourne autour du Soleil et où la température est colossale que des millions d'années plus tard, vont se former les planètes.

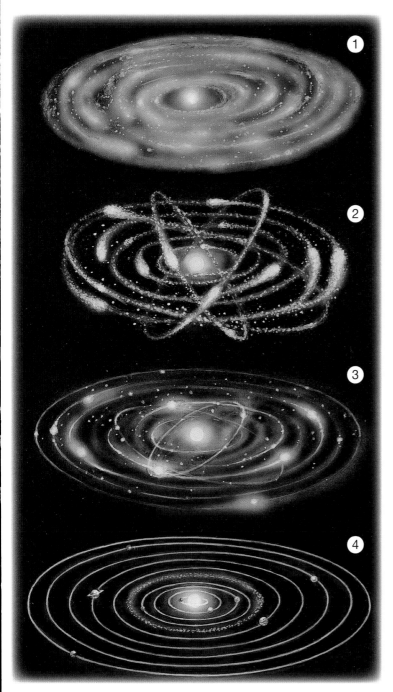

1. Les poussières et les blocs de roche qui n'ont pas servi à former le Soleil ont continué à tourner et se sont agglutinés jusqu'à former de petits grumeaux.

2. Ces grumeaux sont devenus de plus en plus gros et leurs orbites ont dévié les unes des autres, prenant des trajectoires différentes.

3. Ils ont continué de grossir jusqu'à former des planètes au bout de 100 millions d'années.

4. Plus loin du Soleil, les poussières et les gaz se sont aussi collés les uns aux autres pour constituer les planètes gazeuses.

AS-TU BIEN COMPRIS ?

Depuis une petite planète comme la Terre, il est difficile d'imaginer la taille de l'Univers. Chaque élément s'imbrique dans un plus grand que lui.

La planète Terre…

… fait partie du système solaire…

… qui appartient à la galaxie nommée la Voie lactée…

… qui fait partie du groupe local de galaxies constitué d'une trentaine de galaxies.

LE SYSTÈME SOLAIRE

Les hommes préhistoriques s'intéressaient déjà au Soleil, aux étoiles et aux changements de saison. Pour preuve, ce monument situé en Angleterre.

Les scientifiques se sont aperçus que l'emplacement des pierres avait un lien avec la position de la Lune et du Soleil.

LES PREMIERS OBSERVATOIRES

Dans la grande cité de Chichén Itzá, les Mayas ont construit un véritable observatoire qui leur a permis d'étudier le ciel.

Par les sept ouvertures situées tout en haut du bâtiment, ils suivaient les mouvements de Vénus, une planète très importante pour eux.

À cette époque, les télescopes n'existaient pas. On observait le ciel à l'œil nu, avec des instruments très simples comme cette branche fourchue, qui servait sans doute à calculer l'écartement des astres. Ces mesures ont permis aux astronomes mayas de bien connaître les mouvements de certaines planètes.

ILS ONT OBSERVÉ LE CIEL

Les premiers astronomes observaient le ciel à l'œil nu.
Puis ils utilisèrent des instruments comme la lunette et le télescope.

La lunette augmente la taille des objets et leur luminosité. C'est grâce à elle que Galilée (1564-1642) a découvert les satellites de Jupiter et les taches solaires, les cratères de la Lune et de nombreuses étoiles invisibles à l'œil nu.

Newton (1642-1727) utilisait un télescope à miroirs captant deux fois plus de lumière que la lunette de Galilée. Mathématicien, il a fait des calculs qui expliquent pourquoi la Lune ne tombe pas sur la Terre.

JOUER LES ASTRONOMES

Sans être un Galilée ou un Newton, tu peux toi aussi observer le ciel à l'aide de certains outils en vente dans les magasins d'astronomie.

L'été, surtout au mois d'août, tu peux admirer les étoiles filantes. Avec une lunette astronomique, on distingue très bien les cratères de la Lune.

Regarde les éclipses avec des lunettes spéciales.

Dans les observatoires, on observe le ciel avec un télescope.

OBSERVER LES ÉTOILES

Selon les saisons, les constellations de Cassiopée et de la Grande Ourse n'ont pas la même position par rapport à l'horizon.

Hiver

Printemps

Pour repérer ces constellations, trouve l'étoile Polaire qui brille à la queue de la Petite Ourse : elles sont situées de part et d'autre.

Été

Automne

La Grande Ourse a la forme d'une casserole, Cassiopée d'un W. En automne, la Grande Ourse se situe en dessous de l'étoile Polaire.

OBSERVER L'UNIVERS

Un savant qui observe l'Univers s'appelle un astronome. Son but est de comprendre la formation et le fonctionnement des planètes et des galaxies.

Le Very Large Telescope, situé au Chili, est un ensemble de quatre télescopes qui comptent parmi les plus performants du monde.

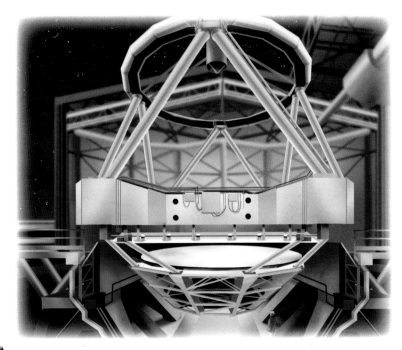

Pour étudier les astres, les astronomes font fonctionner les quatre télescopes en même temps. Au coucher du Soleil, les techniciens ouvrent tous les bâtiments et dirigent leurs miroirs vers l'espace pour capter des images de la voûte céleste et les réfléchir vers une caméra.

Situés en altitude dans le désert d'Atacama, dans le nord du Chili, ces télescopes bénéficient d'un ciel sans nuages et ne sont pas gênés par la pollution des villes. Ils sont aidés de quatre télescopes plus petits.

Les images captées sont traitées par des ordinateurs capables de regrouper les prises de vue de plusieurs télescopes pour n'en faire qu'une seule. Les astronomes étudient les résultats directement sur les écrans des ordinateurs.

Exemples de ce que peuvent apercevoir les astronomes : à gauche, la planète Saturne et, à droite, ces nuages qui font partie d'une constellation.

LE TÉLESCOPE HUBBLE

En 1990, Hubble a été envoyé à 600 km au-dessus de la Terre pour prendre des photos plus précises que celles des télescopes situés au sol.

Panneaux solaires

Hubble est muni de deux panneaux qui captent l'énergie du Soleil et alimentent les batteries nécessaires au fonctionnement des caméras.

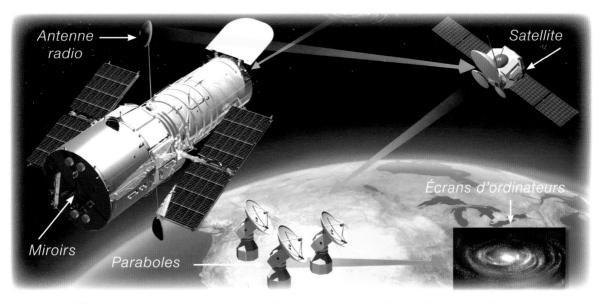

Antenne radio

Satellite

Écrans d'ordinateurs

Miroirs

Paraboles

Avant d'être transmises aux ordinateurs au sol, les images font un long trajet depuis les miroirs de Hubble. Regarde le schéma ci-dessus.

Les photographies de Hubble ont permis de mieux connaître l'Univers. Ce télescope a aussi mesuré très précisément la distance des galaxies.

Comme les premières images envoyées par Hubble étaient floues, des astronautes sont partis en mission à bord d'une navette spatiale pour installer d'autres miroirs. Plusieurs missions ont été organisées par la suite pour perfectionner différents éléments du télescope.

Hubble a photographié des galaxies, comme cette galaxie spirale.

Il a pris des clichés de la galaxie du Sombrero, aussi grande que la nôtre.

NOTRE ÉTOILE : LE SOLEIL

Le Soleil est une énorme boule de gaz. Il tourne sur lui-même en 25 jours et autour du centre de notre Galaxie en 225 millions d'années !

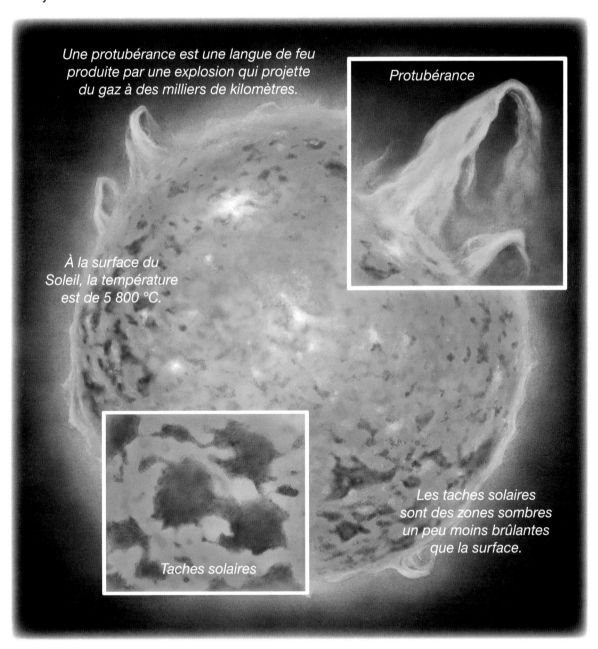

Une protubérance est une langue de feu produite par une explosion qui projette du gaz à des milliers de kilomètres.

Protubérance

À la surface du Soleil, la température est de 5 800 °C.

Les taches solaires sont des zones sombres un peu moins brûlantes que la surface.

Taches solaires

La surface du Soleil ressemble à la peau d'un pamplemousse géant qui bougerait sans arrêt et lancerait des flammes comme un dragon.

RAPPROCHONS-NOUS DU SOLEIL

Le Soleil est l'une des nombreuses étoiles de notre Galaxie, mais la seule de notre système solaire, auquel il apporte chaleur et lumière.

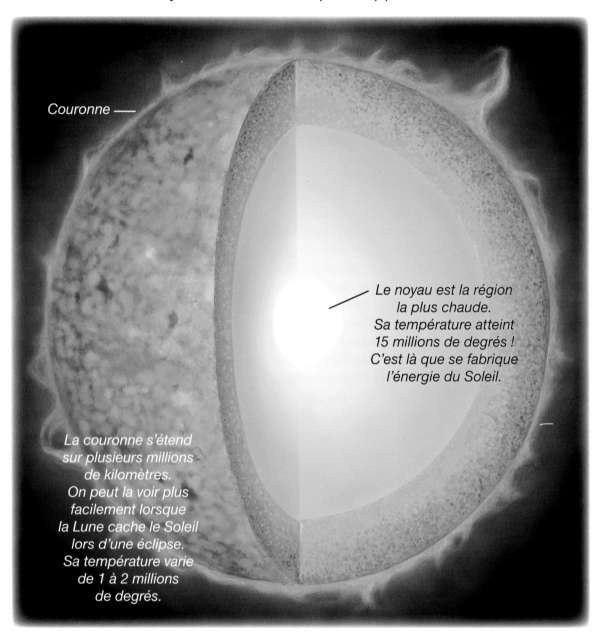

Couronne —

*Le noyau est la région
la plus chaude.
Sa température atteint
15 millions de degrés !
C'est là que se fabrique
l'énergie du Soleil.*

*La couronne s'étend
sur plusieurs millions
de kilomètres.
On peut la voir plus
facilement lorsque
la Lune cache le Soleil
lors d'une éclipse.
Sa température varie
de 1 à 2 millions
de degrés.*

Le Soleil est monstrueusement grand. Imagine que, du centre du Soleil à sa surface, la distance est deux fois plus grande que celle qui sépare la Terre de la Lune. Et la distance entre la Terre et la Lune est de 384 000 km.

AURORES POLAIRES

Ce sont des phénomènes lumineux liés au Soleil que nous pouvons observer dans le ciel, surtout au pôle Nord et au pôle Sud.

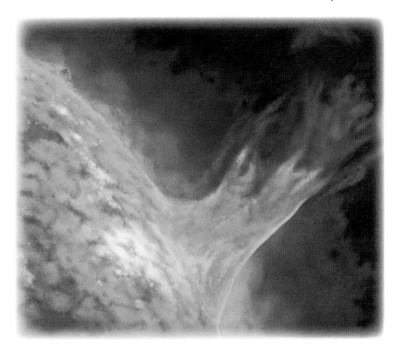

Lorsqu'une violente éruption se produit à la surface du Soleil, des particules électriques éjectées parviennent quelquefois jusqu'à la Terre. Elles peuvent même atteindre les autres planètes du système solaire.

Ces particules électriques se concentrent au niveau des pôles et produisent de grandes gerbes de lumière que l'on voit bien la nuit dans le ciel. Ce sont des aurores polaires, appelées boréales au pôle Nord et australes au pôle Sud.

L'ÉVOLUTION DU SOLEIL

Âgé de près de 5 milliards d'années, le Soleil est une petite étoile pleine d'énergie. Il est rendu à la moitié de sa vie.

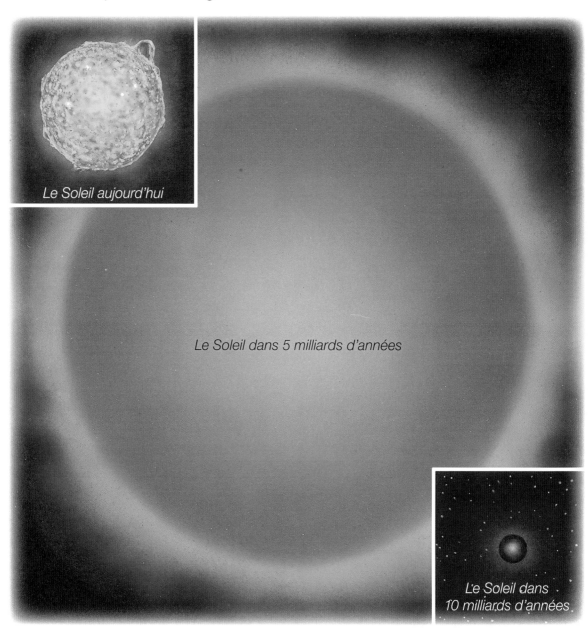

Le Soleil aujourd'hui

Le Soleil dans 5 milliards d'années

Le Soleil dans 10 milliards d'années

Dans 5 milliards d'années, les réserves du Soleil seront épuisées. Il se dilatera jusqu'à devenir cent fois plus gros. Il absorbera toutes les planètes du système solaire, Terre comprise, et, dans 10 milliards d'années, il sera devenu tout petit… et s'éteindra.

LE RÔLE DU SOLEIL

La vie sur Terre est possible grâce au Soleil et à la présence d'eau. Un peu plus ou un peu moins de rayonnement solaire pourrait tout changer.

Si le Soleil envoyait beaucoup moins de chaleur, des pays entiers disparaîtraient sous la glace. Voici, par exemple, une vue de New York, en Amérique. Brr ! Il ne ferait pas bon s'y promener !

Par contre, si le Soleil nous envoyait plus de chaleur, la glace des pôles fondrait et, partout sur Terre, le niveau des océans et des rivières monterait. Des pluies torrentielles s'abattraient sur Terre, l'eau recouvrirait presque toute sa surface. Les villes seraient englouties.

VOYAGE AUTOUR DU SOLEIL

Notre système solaire est constitué d'une seule étoile, le Soleil,
et de tous les objets qui gravitent autour de lui.

Pluton

Uranus

Neptune

Mars

Saturne

Mercure

Cérès

Les planètes et leurs satellites, les planètes naines comme Pluton
et Cérès, les comètes et les astéroïdes tournent autour du Soleil.

Les huit planètes mettent plus ou moins de temps pour faire le tour du Soleil. Plus elles en sont proches, plus ce tour est rapide. Mercure accomplit ainsi sa trajectoire en 88 jours, Vénus en 225 jours.

La Terre tourne autour du Soleil en 1 an, Mars en 2 ans, Jupiter en 12 ans, Saturne en presque 30 ans, Uranus en 84 ans, et Neptune en 165 ans !

LES PLANÈTES

Le mot planète vient du grec ancien et signifie vagabond. C'est le nom utilisé par les scientifiques pour désigner ces astres qui bougent sans arrêt.

Terre

Mars

Mercure

Vénus

Mercure, Vénus, Mars et la Terre sont des planètes ayant une surface rocheuse. Ce sont les quatre planètes les plus proches du Soleil.

Les planètes se sont formées il y a 4,6 milliards d'années.
Elles ne produisent pas de lumière et ne font que
réfléchir celle qu'elles reçoivent de leur étoile.

Jupiter

Neptune

Uranus

Saturne

Jupiter, Saturne, Uranus et Neptune, plus éloignées, sont des planètes géantes, composées principalement de gaz. Des anneaux les entourent.

LE MOUVEMENT DES PLANÈTES

Comme tout tourne dans l'Univers, les planètes tournent aussi sur elles-mêmes à la manière des toupies, chacune à son rythme.

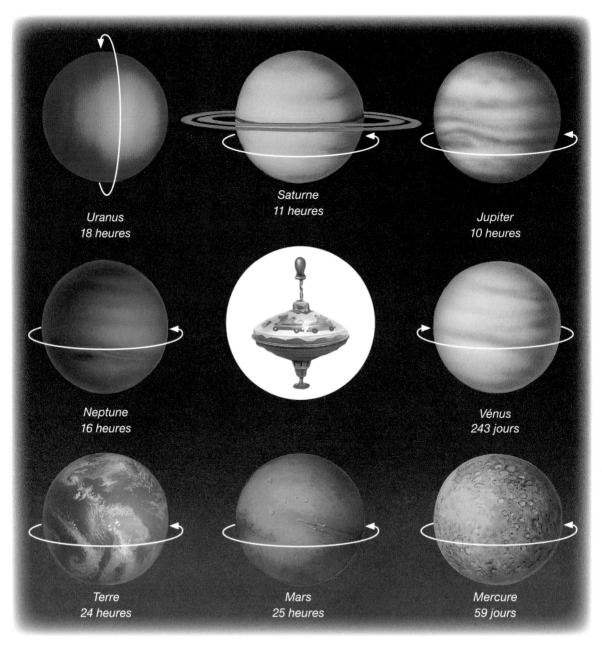

Uranus
18 heures

Saturne
11 heures

Jupiter
10 heures

Neptune
16 heures

Vénus
243 jours

Terre
24 heures

Mars
25 heures

Mercure
59 jours

Vénus est très lente : elle met plus de temps à tourner sur elle-même qu'à tourner autour du Soleil. Jupiter et Saturne sont les plus rapides.

LA TAILLE DES PLANÈTES

Comparées au Soleil, les planètes paraissent toutes minuscules.
Le Soleil est le plus gros astre du système solaire.

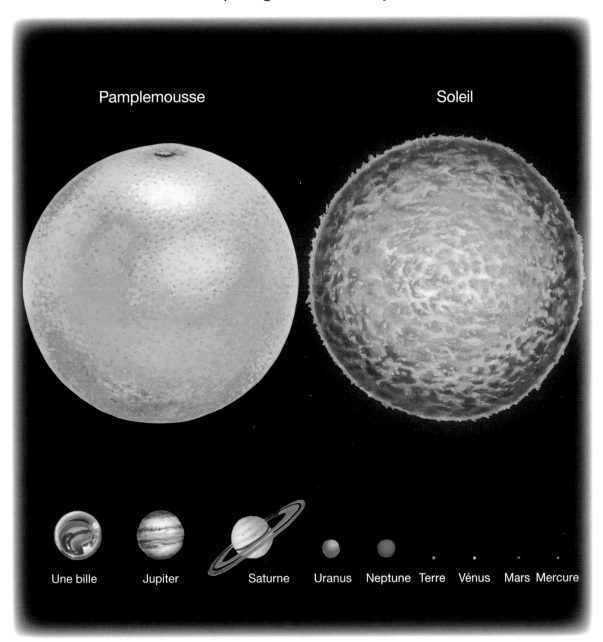

Pamplemousse

Soleil

Une bille   Jupiter   Saturne   Uranus   Neptune   Terre   Vénus   Mars   Mercure

Si le Soleil avait la taille d'un pamplemousse, les planètes géantes auraient celle d'une bille, et les autres, dont la Terre, celle d'un grain de sable.

MERCURE

Mercure est la planète la plus proche du Soleil (58 millions de km). Depuis sa surface, le Soleil semble quatre fois plus gros que depuis la Terre.

Sur la face de Mercure éclairée par le Soleil, la température atteint 430 °C. Sur la face qui est plongée dans la nuit, elle est glaciale (– 170 °C).

Mercure est mieux connue depuis janvier 2008 grâce aux photographies de la sonde Messenger. Cette planète est difficile à observer à l'œil nu à cause de sa proximité avec le Soleil, qui nous éblouit.

Elle est beaucoup plus petite que la Terre. On peut l'observer au télescope lorsqu'elle passe entre notre planète et le Soleil. On la voit alors sous la forme d'un point noir qui se détache du disque solaire.

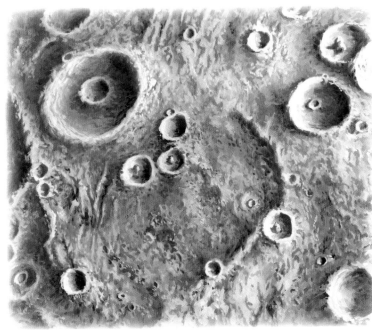

Le sol de Mercure ressemble à celui de la Lune : de nombreuses chutes de météorites y ont creusé des cratères parfois immenses. Contrairement à notre planète, Mercure n'a pas d'atmosphère pour se protéger de ces énormes pierres.

VÉNUS

Vénus est entourée de nuages poussés par des vents violents. À sa surface, il fait sombre et très chaud. Le tonnerre gronde sans cesse.

L'atmosphère qui entoure Vénus est particulièrement épaisse et empêche la chaleur de se dissiper. Les températures à sa surface sont donc très élevées, plus encore que sur Mercure (460 °C en moyenne). Vénus est la planète la plus chaude du système solaire.

On appelle aussi Vénus l'étoile du Berger, car elle est visible le matin et le soir, quand les bergers sortent ou rentrent les moutons.

On dit que Vénus est la sœur jumelle de la Terre. Leur relief est comparable, et Vénus est juste un peu plus petite que notre planète. Cependant, elle n'abrite ni eau ni aucune forme de vie.

La surface de Vénus est constituée en grande partie de plaines (en couleurs plus foncées sur l'illustration). On y trouve aussi des hauts plateaux et des montagnes (en plus clair). Mais, dans l'ensemble, Vénus est moins montagneuse que la Terre.

Vénus a connu une forte activité volcanique. On y a découvert d'importantes coulées de lave. On ignore si les volcans y sont encore actifs.

LA TERRE

Les satellites nous envoient en permanence depuis l'espace
des photos de notre planète. Celles-ci nous en montrent deux faces.

On voit que les océans occupent plus de place que les continents.
Vue du ciel, la Terre apparaît toute bleue, d'où son nom de planète bleue.

La Terre est enveloppée d'une épaisse couche d'air appelée atmosphère. Celle-ci protège la surface terrestre en brûlant de nombreux objets venus de l'espace, comme les tout petits astéroïdes.

Composée de différents gaz et de vapeur d'eau, l'atmosphère filtre la chaleur du Soleil et nous évite d'être brûlés.

MARS

Le sol de celle qu'on appelle la planète rouge est très riche en oxyde de fer, qui a la couleur rouge orangé de la rouille.

Deimos

Phobos

Adaptation libre de l'illustrateur : dans la réalité, les satellites de Mars sont proportionnellement beaucoup plus petits.

Deux petits satellites tournent autour de Mars : Phobos et Deimos. Ce sont sans doute des astéroïdes qui ont été captés par la planète.

Sur Mars, tout est gigantesque : les montagnes, les canyons et les cratères. L'air y est irrespirable et il n'y a pas d'eau, même si on a trouvé des traces de fleuves suggérant que l'eau a autrefois coulé sur la planète.

Le mont Olympe est le plus grand volcan du système solaire. Il s'élève à 25 km au-dessus des plaines qui l'entourent et fait 600 km de diamètre. Le mont Everest, qui est la plus haute montagne que l'on trouve sur la Terre, ne dépasse pas 9 km de hauteur !

Le robot Opportunity, qui s'est posé à la surface du sol martien en janvier 2004, permet d'analyser les roches. On envoie régulièrement des sondes et des robots sur Mars pour explorer son sol et savoir si des formes de vie ont existé et existent encore.

JUPITER

La plus grosse planète du système solaire fait onze fois la Terre. Elle est composée d'un noyau solide entouré d'une très épaisse couche de gaz.

La tache rouge que l'on voit sur Jupiter est due à une tempête qui soufflerait depuis plus de 300 ans ! Elle fait deux à trois fois la taille de la Terre.

Des vents violents survolent sans interruption la planète. Le tonnerre gronde et la foudre est mille fois plus puissante que sur la Terre.

Les couleurs que l'on voit à la surface de Jupiter sont dues
à la composition des nuages de gaz et à leur altitude. Autour de cette
planète gravitent 63 satellites, mais 59 d'entre eux sont tout petits.

Io

Europe

Ganymède

Callisto

Deux de ses satellites, Io et Europe, ont une taille comparable à celle de
la Lune, tandis que Ganymède et Callisto ont à peu près celle de Mercure.

SATURNE

Saturne fait neuf fois la taille de la Terre. Cette géante
est la deuxième plus grande planète du système solaire.

Cette planète au cœur rocheux est surtout composée de gaz. Elle est
si légère qu'elle flotterait sur un océan assez grand pour l'accueillir.

Après Jupiter, Saturne est la planète qui compte le plus de satellites.
On en a dénombré 60 jusqu'à présent, tous de tailles différentes.
Titan, le plus gros d'entre eux, est plus grand que Mercure.

Titan est un satellite enveloppé d'une épaisse atmosphère dont la composition chimique est comparable à celle qui régnait sur Terre il y a plusieurs milliards d'années, avant l'apparition de la vie.

Saturne compte sept anneaux distincts, séparés les uns des autres par du vide. Ils sont composés d'innombrables particules de roche et de glace, dont la taille varie d'un grain de poussière à un énorme camion.

URANUS ET NEPTUNE

La couleur de ces deux planètes est due à la manière dont les gaz qui les enveloppent absorbent et reflètent la lumière du Soleil.

Uranus a une inclinaison très différente des autres planètes. On suppose qu'elle a été heurtée autrefois par un grand corps céleste qui l'aurait renversée. Cette planète est entourée d'anneaux très fins. Elle possède une vingtaine de satellites.

Neptune est la huitième planète du système solaire, et la plus éloignée du Soleil. Sa température est de − 220 °C. La tache sombre serait un gigantesque ouragan de la taille de la Terre. Autour de cette tache, des vents violents, les plus rapides du système solaire, soufflent à 2 000 km/h.

LES ASTÉROÏDES

Les astéroïdes sont des blocs de roches et de métaux qui tournent autour du Soleil. Certains sont minuscules et d'autres très grands.

La plupart des astéroïdes du système solaire sont concentrés dans une bande située entre Mars et Jupiter qu'on appelle la Ceinture d'astéroïdes. Ils sont des millions, et ils auraient pu former une planète, mais ils auraient été gênés par la proximité de Jupiter.

Certains astéroïdes ont la taille de grains de poussière, tandis que d'autres, beaucoup plus importants, ressemblent à de gros rochers. L'un d'eux, appelé Cérès, a même été classé dans la catégorie des planètes naines, comme Pluton. Cérès mesure près de 1 000 km de diamètre.

Ces pierres venues de l'espace intéressent beaucoup les scientifiques, car elles peuvent donner des renseignements sur la composition des planètes qui tournent autour du Soleil.

Les astéroïdes ne sont pas tous de la même couleur. Certains sont noirs comme du charbon ; d'autres, qui contiennent du fer, sont brillants et rougeâtres. Il en existe aussi des gris et des jaunes.

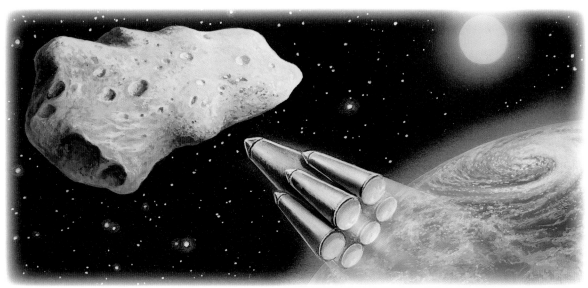

Les scientifiques surveillent les astéroïdes qui pourraient menacer la Terre et étudient la meilleure façon de changer leur trajectoire ou de les détruire.

LES MÉTÉORITES

Des astéroïdes sont parfois attirés vers la Terre. Quand ils atteignent le sol terrestre, ils prennent le nom de météorites.

En s'écrasant sur la Terre à grande vitesse, les grosses météorites creusent des cratères et soulèvent des nuages de poussière qui obscurcissent le ciel. Dans l'océan, elles peuvent provoquer des tsunamis.

Parfois, de petits morceaux d'astéroïdes s'échauffent en traversant l'atmosphère terrestre. Ils se volatilisent en laissant dans le ciel une traînée lumineuse : c'est ce que nous appelons les étoiles filantes. Quand on en voit passer une, on dit qu'il faut faire un vœu.

La Terre n'a pas été épargnée par les chutes de météorites bien qu'elle soit protégée par la couche d'atmosphère. Des traces d'impacts sont visibles sur le sol.

Selon certains scientifiques, la chute de grosses météorites sur Terre serait à l'origine de l'extinction brutale des dinosaures il y a 65 millions d'années. Le choc aurait déclenché incendies, nuages de poussière et changement brutal de climat.

Ce cratère de 1,2 km de diamètre résulte d'un impact de météorite.

Dans les glaciers des pôles, il est facile de repérer une météorite.

LES COMÈTES

Une comète est un noyau composé de roches, de gaz gelés et d'eau. Ce noyau est enveloppé dans une chevelure de gaz et de poussières.

La comète de Halley est la plus connue de toutes les comètes. Sa dernière apparition date de 1986 ; on la reverra en 2061.

Chaque fois qu'une comète s'approche du Soleil, la matière contenue dans son noyau s'évapore et forme une boule de gaz bleutée et une queue de poussières blanche qui s'étire sur des millions de kilomètres. Après des milliers de passages près du Soleil, la comète n'est plus qu'un bloc rocheux.

LES JOURS DE LA SEMAINE

Pour mémoriser le nom des planètes et de la Lune, récite les jours de la semaine. À chaque jour correspond un astre.

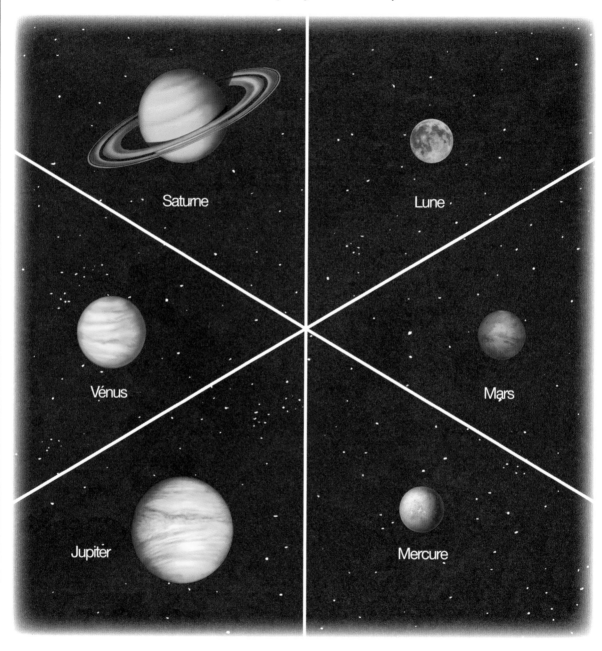

Lundi, pour la **Lu**ne ; **mar**di, pour **Mar**s ; **mer**credi, pour **Mer**cure ; **jeu**di, pour **Ju**piter ; **ven**dredi, pour **Vén**us ; et **sa**medi, pour **Sa**turne.

LA TERRE

LA TERRE

Pour faire le tour de la Terre, il faut parcourir 40 000 km. Il faudrait que 24 millions de personnes fassent la ronde pour en faire le tour.

Un globe terrestre est une boule qui représente notre Terre et sur laquelle figurent les noms des pays et des mers. En faisant tourner le globe sur lui-même, tu verras défiler tous les océans et les continents. Tu pourras ainsi mieux situer ton pays dans le monde.

En marchant dix heures par jour, on ferait le tour de la Terre en deux ans.

Un avion peut faire le tour du monde en deux jours.

RONDE OU PLATE ?

La Terre est ronde, mais les hommes n'ont pas toujours été d'accord sur sa forme. Certains disaient qu'elle était ronde, d'autres qu'elle était plate.

Au Moyen Âge, on pensait que la Terre était le centre de l'Univers et que le Soleil et les autres planètes tournaient autour d'elle. Les découvertes en astronomie ont ensuite permis d'affirmer que la Terre et les autres planètes du système solaire tournent toutes autour du Soleil.

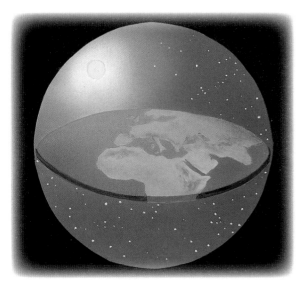

Dans l'Antiquité, on croyait que la Terre était un disque qui flottait dans une boule creuse à l'intérieur de laquelle étaient accrochés le Soleil et les étoiles. Les navigateurs pensaient qu'au-delà des mers c'était le vide.

VERS LE CENTRE DE LA TERRE

La Terre s'est formée il y a plus de quatre milliards d'années.
Plus nous descendons vers son noyau, plus il fait chaud.

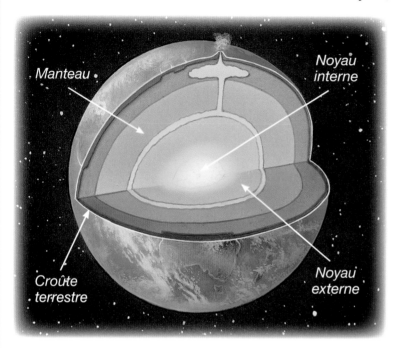

Au centre, dans le noyau, la température atteint 5 000 °C. Autour, le manteau est composé de roches qui se transforment en lave sous l'effet de la chaleur. Celle-ci remonte parfois à la surface jusqu'aux volcans. La croûte terrestre est une couche de roches située sous les océans et les continents.

Les anciens pensaient déjà que le centre de la Terre était très chaud, comme le prouve cette représentation de la Terre du XVIIᵉ siècle. En 1868, Jules Verne a décrit un voyage imaginaire au centre de la Terre peuplé de monstres (à droite).

À LA SURFACE DE LA TERRE

La surface de la Terre est constituée en grande partie d'océans,
mais aussi de continents au relief extrêmement varié.

Des chaînes de montagnes se
trouvent sur tous les continents.

Les océans recouvrent
les deux tiers de la planète.

Des fosses sous-marines peuvent
atteindre 10 000 m de profondeur.

Il y a aussi de grandes étendues
plates qu'on appelle des plaines.

LA TERRE TOURNE SUR ELLE-MÊME

La Terre tourne sur elle-même sans arrêt. Il lui faut 24 heures pour faire un tour complet, soit une journée et une nuit.

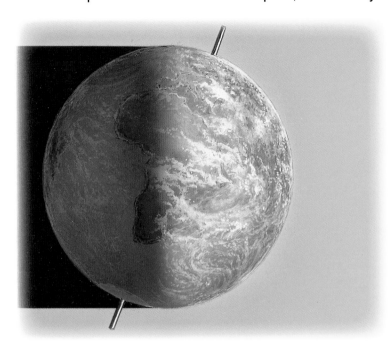

Si l'on relie les deux pôles avec une tige imaginaire, on constate que la Terre est inclinée : les rayons solaires se répartissent donc de manière inégale à certains moments de l'année. Quand l'une des faces du globe est éclairée par le Soleil, l'autre est plongée dans la nuit. Quand il fait nuit à New York, il fait jour à Paris.

Aux pôles, en hiver, la nuit dure six mois : le Soleil ne dépasse pas la ligne d'horizon. Puis, en été, pendant six mois, le Soleil ne se couche pas !

UNE JOURNÉE

La Terre tourne sur elle-même comme une toupie, et il faut une journée pour que toutes les régions soient éclairées par le Soleil.

L'Europe sort de la zone d'ombre : c'est le matin.

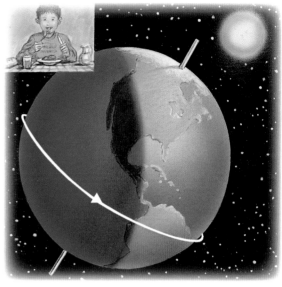

Le midi, l'Europe est en face du Soleil : il est 12 heures.

L'Europe ne reçoit plus les rayons du Soleil : c'est le soir.

L'Europe est dans l'ombre, la Terre cache le Soleil : c'est la nuit.

LA TERRE TOURNE AUTOUR DU SOLEIL

La Terre tourne autour du Soleil en une année (365 jours),
en dessinant un grand cercle qu'on appelle une orbite.

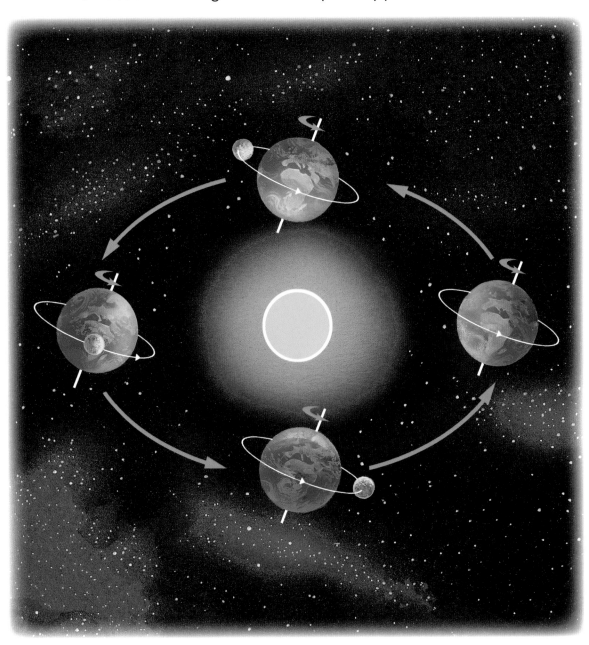

Quand les rayons solaires arrivent tout droit sur nos régions, il fait très chaud : c'est l'été. Quand ils arrivent de biais, il fait froid : c'est l'hiver.

LE VOYAGE DU SOLEIL DANS LE CIEL

Nous savons que c'est la Terre qui tourne. Pourtant, nous avons l'impression que le Soleil voyage dans le ciel du matin au soir !

Le Soleil dessine un arc de cercle dans le ciel : il se lève à l'Est ; le midi, il est au plus haut point dans le ciel ; le soir, il se couche à l'Ouest.

Avant que les horloges et les montres n'apparaissent, on lisait l'heure sur des cadrans solaires, divisés en douze parties égales représentant les heures. Une aiguille, qui tournait au fur et à mesure que le Soleil tournait autour de la Terre, projetait son ombre sur le cadran. On pouvait lire l'heure en vérifiant la position de l'ombre sur le cadran.

LE SOLEIL AU FIL DE L'ANNÉE

L'été, il fait plus chaud car le Soleil est plus haut dans le ciel et ses rayons tombent droit sur la Terre. L'hiver, le Soleil est bas dans le ciel.

position du soleil en été

au printemps et en automne

en hiver

Le 21 juin, le jour du début de l'été, c'est la journée la plus longue et la nuit la plus courte. Le 21 décembre, le jour du début de l'hiver, c'est la journée la plus courte et la nuit la plus longue.

Le jour de l'été, le 21 juin, c'est la fête de la musique.

Au début de l'hiver, c'est la période des fêtes de Noël.

LES COULEURS DU CIEL

Le ciel n'est pas toujours bleu. Selon les conditions météorologiques et les moments de la journée, il peut être noir, gris, blanc, rose, orange...

Lorsque la lumière du Soleil traverse un écran de pluie, après un orage par exemple, les 7 couleurs qui la composent se dispersent et sont visibles séparément. Dans le ciel se dessine alors un bel arc-en-ciel.

En altitude, l'air est plus pur et le ciel souvent très bleu. La couleur bleue est donnée par l'atmosphère qui diffuse la lumière du Soleil. Sans elle, le ciel paraîtrait toujours noir.

Le Soleil n'a pas toujours la même couleur. Cela dépend de sa position par rapport à la Terre, si ses rayons traversent des nuages, des fumées ou de la pollution...

Le soir, le Soleil est à l'horizon, ses rayons traversent une grande épaisseur d'atmosphère pour nous parvenir, et seuls ses rayons rouges arrivent jusqu'à nous, nous offrant des couchers de soleil magnifiques, surtout au bord de la mer.

À la fin de chaudes journées, le Soleil semble se morceler car ses rayons traversent des couches d'air de température différente. En mer, par temps clair, on peut apercevoir juste avant que le Soleil disparaisse son dernier rayon, de couleur verte.

Quand tu sauras à quoi correspondent un mois, une année et une journée, tu comprendras que nous vivons tous au rythme de l'Univers !

Un mois, c'est à peu près le temps que met la Lune pour tourner autour de la Terre, soit une trentaine de jours.

Un an, c'est le temps que met la Terre pour tourner autour du Soleil. Cela correspond à 365 jours, ou 366 jours lors des années bissextiles. Une journée, c'est le temps que met la Terre pour tourner sur elle-même.

La vie est apparue au fond des océans 1 milliard d'années
après la formation de la Terre.

Au début, la Terre est une énorme
boule de roche fondue. La température
est très élevée à sa surface.

Puis la Terre se refroidit. Des nuages
se forment et la pluie se met à tomber.
Les océans apparaissent.

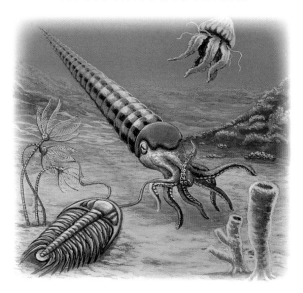

Des animaux et des algues
microscopiques apparaissent,
puis des animaux à corps mou.

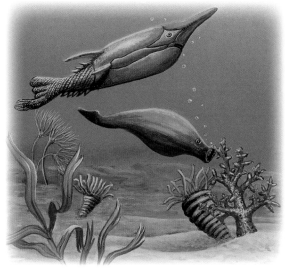

Les premiers poissons n'ont ni nageoires
ni dents. Puis ils se recouvrent d'une
cuirasse et des nageoires se développent.

Sur la terre ferme, les premières plantes se développent près des mares : ce sont des mousses, des lichens et des fougères. Les premières forêts sont constituées de plantes géantes.

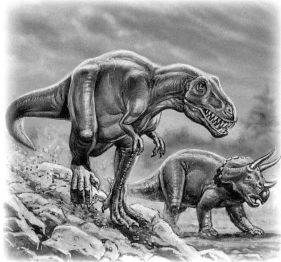

Chez certains poissons, les nageoires se transforment en pattes et des poumons permettent de respirer l'air. Ils s'aventurent sur la terre ferme. Il y a 240 millions d'années, les dinosaures font leur apparition. Ils disparaîtront tous mystérieusement.

Il y a 30 millions d'années, dans les forêts tropicales, naissent les premiers singes, qui ressemblent déjà aux singes actuels. Il y a près de 3 millions d'années, les premiers hommes font leur apparition en Afrique, puis ils évoluent et colonisent tous les continents.

LES COLÈRES DE LA TERRE

La Terre est une planète active. Des phénomènes extrêmes – éruptions volcaniques ou tremblements de terre – animent régulièrement sa surface.

Certains volcans sont toujours actifs. Lorsqu'ils entrent en éruption, le magma situé dans les profondeurs de la Terre s'échappe en coulées de lave. Le volcan peut également projeter des cendres, des gaz et des poussières.

Un tremblement de terre ne dure parfois que quelques minutes, mais il peut provoquer de gros dégâts. La force d'un séisme se mesure sur l'échelle de Richter, graduée de 1 à 12, selon la gravité des dommages occasionnés.

peuvent provoquer des morts et des dégâts matériels importants. Quand elles se produisent dans l'eau, elles créent une vague géante.

Cette vague géante s'appelle un tsunami. Elle peut atteindre 30 m de hauteur et parcourir des milliers de kilomètres à la vitesse de 800 km/h avant de s'abattre sur la côte, détruisant tout sur son passage.

Les cyclones sont des vents violents qui se forment dans les mers chaudes. Les tornades aspirent tout ce qui se trouve sur leur route.

Les continents reposent sur l'écorce terrestre, divisée en grandes plaques qui se déplacent lentement (de 2,5 cm par an environ).

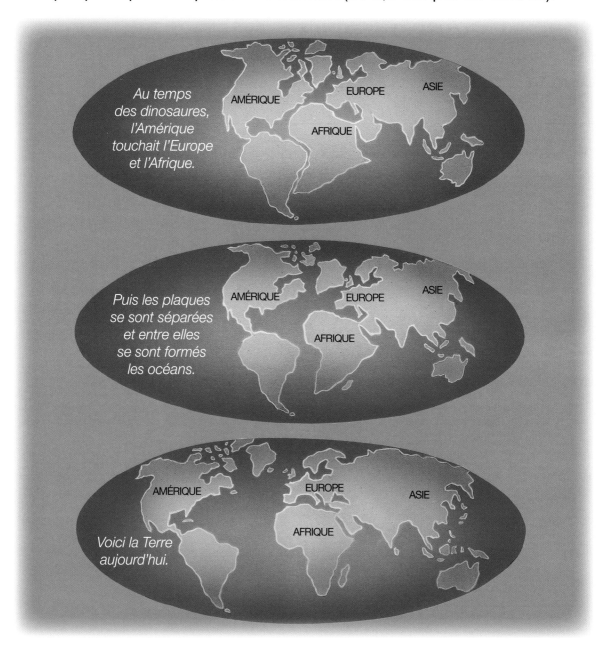

Au temps des dinosaures, l'Amérique touchait l'Europe et l'Afrique.

AMÉRIQUE   EUROPE   ASIE
AFRIQUE

Puis les plaques se sont séparées et entre elles se sont formés les océans.

AMÉRIQUE   EUROPE   ASIE
AFRIQUE

Voici la Terre aujourd'hui.

AMÉRIQUE   EUROPE   ASIE
AFRIQUE

Dans plusieurs millions d'années, l'Amérique sera encore plus éloignée de l'Europe et de l'Afrique. L'océan Atlantique sera plus large.

LA LUNE

LA LUNE, SATELLITE DE LA TERRE

Il y a plusieurs millions d'années, un bolide de l'espace serait entré en collision avec la Terre ; les débris auraient donné naissance à la Lune.

Quand nous admirons la Lune dans le ciel, elle nous paraît grosse, car elle est peu éloignée de nous. Elle est distante de la Terre de 384 400 km, ce qui est très peu à l'échelle de l'Univers. En réalité, elle représente à peu près la superficie des États-Unis.

La Lune tourne sur elle-même tout en tournant autour de la Terre en 28 jours environ. C'est la durée du mois terrestre. La température à la surface de la Lune est de 100 °C le jour et de − 170 °C la nuit. Le jour et la nuit durent deux semaines environ.

LA SURFACE DE LA LUNE

Avec une lunette astronomique, tu peux observer les cratères à la surface de la Lune. Ils ont été creusés par des météorites.

Depuis la Terre, on voit des taches sombres, qui sont de grandes plaines, et des zones claires, qui sont en fait des montagnes.

Malgré sa proximité avec la Terre, la Lune est vraiment un autre monde. Elle est dépourvue d'eau et d'atmosphère : on ne peut pas y respirer ! Peut-être y a-t-il de la glace tout au fond des cratères, près des pôles.

Les étendues sombres sont appelées mers, même si elles ne contiennent pas d'eau. Ce sont des plaines formées par l'impact des météorites. Elles ont été recouvertes par la lave des volcans, à l'époque où ils étaient encore actifs.

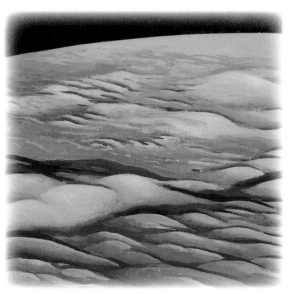

Les plus hautes montagnes s'élèvent à 8 200 m. La Lune est criblée de cratères de différentes tailles. Les plus grands mesurent 200 km de large.

LES DIFFÉRENTS VISAGES DE LA LUNE

Depuis la Terre, nous voyons la partie de la Lune que le Soleil éclaire.
Voici les différentes formes que prend la Lune pendant un mois.

1. Nouvelle lune : la Lune est à peine visible.

2. Premier croissant.

3. Premier quartier : on dirait le rond du p du mot « premier ».

4. La Lune est presque visible en entier : c'est la lune gibbeuse.

5. Pleine lune.

6. C'est à nouveau la lune gibbeuse. L'ombre a changé de côté.

7. Dernier quartier : on dirait le rond du d du mot « dernier ».

8. Dernier croissant.

CLAIR DE TERRE ET CLAIR DE LUNE

La Lune ne produit pas de lumière : elle réfléchit les rayons du Soleil. Et la Terre est visible de la Lune parce que le Soleil l'éclaire.

Quand il fait nuit sur Terre, nous voyons la surface de la Lune éclairée par le Soleil : c'est un clair de lune. Ainsi, lorsqu'il fait nuit sur la Terre, il fait jour sur la Lune.

À l'inverse, si nous étions sur la Lune et qu'il y faisait nuit, nous verrions la Terre éclairée par le Soleil : c'est un clair de terre ! Quand il fait nuit sur la Lune, il fait jour sur la Terre.

LA LUNE JOUE AVEC LE SOLEIL

La Lune et le Soleil jouent parfois à cache-cache, ce qui donne lieu aux éclipses. Celles-ci peuvent être partielles ou totales.

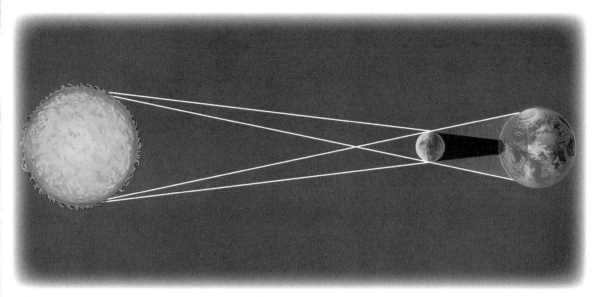

Quand la Lune passe entre le Soleil et la Terre, on assiste à une éclipse de Soleil. Si l'éclipse est totale, les trois astres sont parfaitement alignés.

Une éclipse totale de Soleil ne dure que quelques minutes. Les rayons du Soleil sont totalement cachés par la Lune, et la nuit tombe en pleine journée. La température chute. Il est possible d'observer ce genre d'éclipse, mais il faut être prudent et porter des lunettes avec un filtre spécial.

Parfois, lors de la pleine lune, la Terre passe entre la Lune et le Soleil et son ombre voile la Lune pendant une heure ou plus : c'est une éclipse de Lune. Elle est visible depuis la face de la Terre plongée dans la nuit.

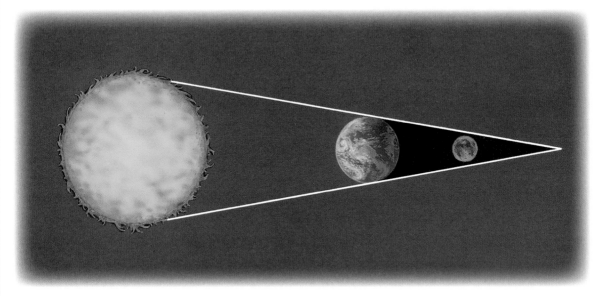

L'éclipse est totale si la Lune est entièrement recouverte par l'ombre de la Terre, partielle si une partie seulement est cachée.

Pendant l'éclipse, la Lune peut prendre de belles couleurs rougeâtres. Celles-ci sont dues aux quelques rayons de Soleil qui parviennent jusqu'à elle. Ce phénomène peut durer deux heures.

LA LUNE JOUE AVEC LES OCÉANS

Le champ magnétique de la Terre attire la Lune. Mais la Lune attire aussi la Terre, et particulièrement les océans. C'est ce qui provoque les marées.

À marée basse, le rivage est à sec. La mer s'est retirée de la plage.

À marée haute, la mer remonte sur la plage et les bateaux flottent.

Le Mont-Saint-Michel, en France, devient une île à marée haute.

En Méditerranée, les marées sont faibles, car c'est une mer fermée.

JARDINER AVEC LA LUNE

La Lune est croissante de la nouvelle lune à la pleine lune,
et décroissante de la pleine lune à la nouvelle lune suivante.

Pendant la phase croissante de la Lune, les plantes poussent plus vite.
C'est le moment de semer les graines et de planter les arbres.

Pendant la Lune décroissante, la lumière est moins forte, les plantes se
conservent moins bien. On peut tondre le gazon, il repoussera moins vite !

LA CONQUÊTE
DE L'ESPACE

LES DÉBUTS DE LA CONQUÊTE SPATIALE

La conquête de l'espace commence véritablement avec le lancement du tout premier satellite, Spoutnik 1, le 4 octobre 1957.

Ce sont les Soviétiques qui réussissent cet exploit et qui annoncent la grande nouvelle au monde stupéfait. Ce lancement était surtout destiné à tester la fusée R-7 Semiorka, dont le voyage a duré cinq minutes pour mettre sur orbite le satellite Spoutnik 1.

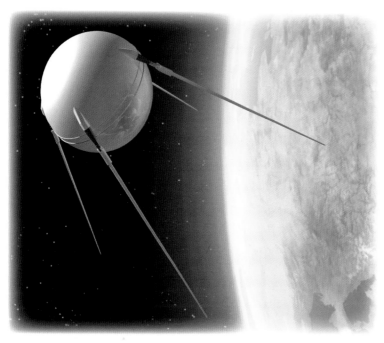

Spoutnik, qui signifie compagnon de voyage, n'était qu'une petite sphère de 58 cm de diamètre, pesant 83,6 kg et munie de quatre antennes. Ce satellite a fait le tour de la Terre pendant quelques mois, avant de se consumer dans l'atmosphère le 4 janvier 1958.

LES PREMIERS ANIMAUX DANS L'ESPACE

Comme on ne savait pas si des êtres vivants pouvaient résister à un voyage spatial, on a d'abord envoyé… un chien et un singe.

En novembre 1957, la chienne Laïka est le premier être vivant propulsé dans l'espace. Elle voyage à bord de l'engin spatial russe Spoutnik 2.

En 1961, le chimpanzé Ham vole en combinaison d'astronaute à bord de la fusée américaine Mercury-Redstone 2.

LES PREMIERS HOMMES DANS L'ESPACE

En 1961, le Soviétique Iouri Gagarine est le premier homme à voyager dans l'espace ! En 1962, l'Américain John Glenn décolle à son tour.

Le 12 avril 1961, Iouri Gagarine fait le tour complet de la Terre à bord de la capsule Vostok en 1 h 48 min. Il est considéré comme un héros.

John Glenn est le premier astronaute américain à faire le tour de la Terre, à bord de la capsule Mercury. Il effectue 3 tours en moins de 5 heures.

OBJECTIF LUNE

Le 16 juillet 1969, un équipage de trois astronautes américains vit une grande aventure : il décolle vers la Lune à bord de la fusée Saturn V.

Neil Armstrong, commandant de l'équipage.

Michael Collins, pilote du module de commande, qui abrite les astronautes.

Buzz Aldrin, pilote du module lunaire, l'engin qui se posera sur la Lune.

Cette mission, appelée Apollo 11, est la première à envoyer des humains sur la Lune. La fusée est lancée de cap Canaveral, aux États-Unis.

LE VOYAGE VERS LA LUNE

Un quart d'heure après le décollage, les deux premiers étages de la fusée ont brûlé leur combustible. Ils sont largués et tombent dans la mer.

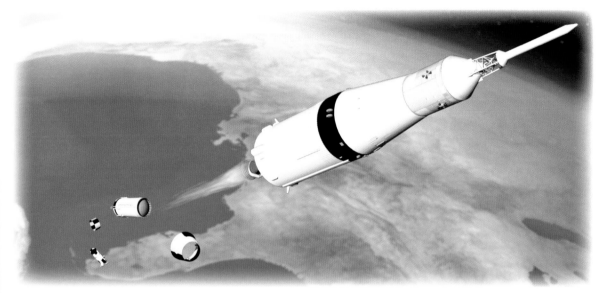

Reste le troisième étage, qui propulse l'équipage sur la bonne trajectoire. Il abrite le vaisseau Apollo et le module lunaire.

Module lunaire

Vaisseau Apollo

Le vaisseau Apollo se détache du troisième étage et fait demi-tour pour extraire le module lunaire de la fusée.

LE PREMIER PAS SUR LA LUNE

Collins reste dans le vaisseau Apollo pendant qu'Armstrong
et Aldrin prennent place dans le module lunaire.

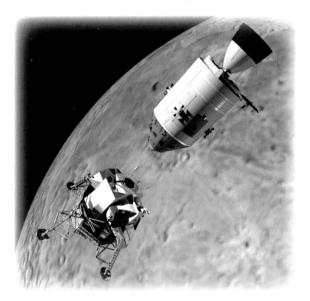 

Après un voyage de 4 jours, le vaisseau spatial se met en orbite autour
de la Lune. Le 20 juillet 1969, le module lunaire se pose sur la Lune.

Quelques heures plus
tard, Neil Armstrong
descend de l'échelle
et fait, très ému, son
premier pas sur le
satellite de la Terre en
disant : « C'est un petit
pas pour un homme,
mais un bond de géant
pour l'humanité. »

L'EXPLORATION DE LA LUNE

La course à la Lune fascine le monde entier : l'événement
est filmé et diffusé en direct sur Terre à la télévision.

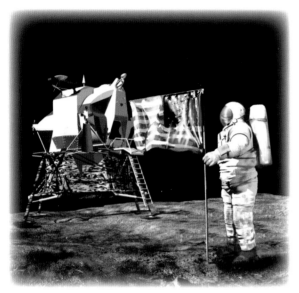

Armstrong plante le drapeau américain sur la Lune. Les astronautes,
beaucoup plus légers que sur Terre, avancent en bondissant.

Armstrong et Aldrin ramassent 22 kg de roches. Deux heures plus tard,
le module lunaire décolle avec ses deux passagers.

RETOUR VERS LA TERRE

Huit jours après le décollage de la fusée Saturn V, une petite capsule flotte sur l'océan Pacifique, avec trois hommes à bord !

Le module lunaire retourne s'arrimer au vaisseau Apollo.

Seul le module de commande se dirige vers la Terre.

Le module de commande amerrit le 24 juillet 1969. Les trois astronautes reviennent sains et saufs mais sont bien fatigués après ce voyage hors du commun. Le module de commande est aujourd'hui exposé au musée national de l'Air et de l'Espace à Washington, aux États-Unis.

TRAVAILLER SUR LA LUNE

Après la mission Apollo 11, plusieurs équipages d'astronautes sont retournés sur la Lune afin d'en poursuivre l'exploration.

Dans une voiture tout-terrain, l'astronaute peut aller plus loin.

Il récolte des échantillons lunaires pour les étudier sur Terre.

Il fait des photographies de la surface de la Lune.

Il récupère ensuite les pellicules photo dans le véhicule de service.

LA FUSÉE ARIANE

Ariane est une fusée européenne appelée lanceur car elle est destinée à propulser des satellites en orbite autour de la Terre.

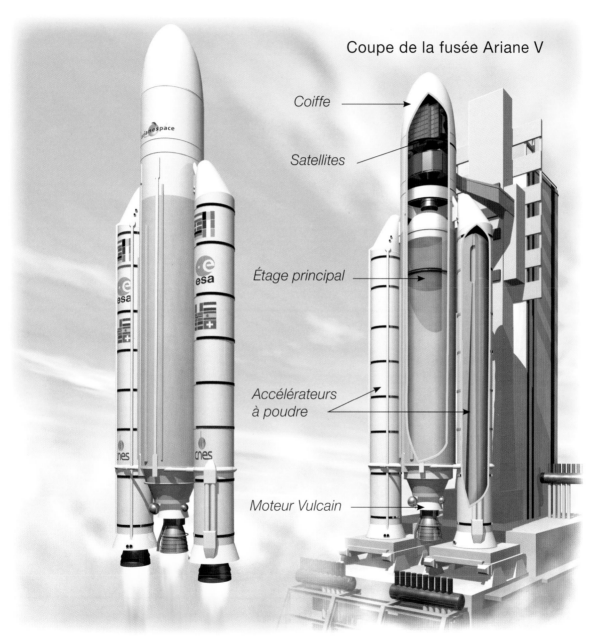

Coupe de la fusée Ariane V

Coiffe

Satellites

Étage principal

Accélérateurs à poudre

Moteur Vulcain

La voici sur sa rampe de lancement à Kourou, en Guyane, juste avant le décollage. Elle mesure une cinquantaine de mètres de haut.

Chaque fusée ne fait qu'un seul voyage, qui dure moins d'une heure. Ariane décolle à la verticale, puis s'incline. Au fur et à mesure de son ascension, elle perd tous ses étages.

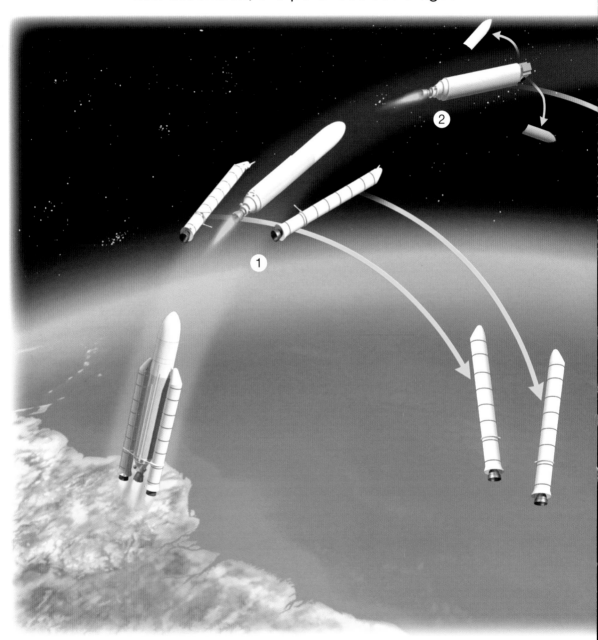

Quand les deux étages d'accélération ont brûlé leur combustible, ils sont largués (1). C'est ensuite au tour de la coiffe d'être envoyée à la mer (2).

Peu après, l'étage principal, vide de combustible,
se détache à son tour (3). La partie haute (4) continue
son voyage avec un satellite à son extrémité.

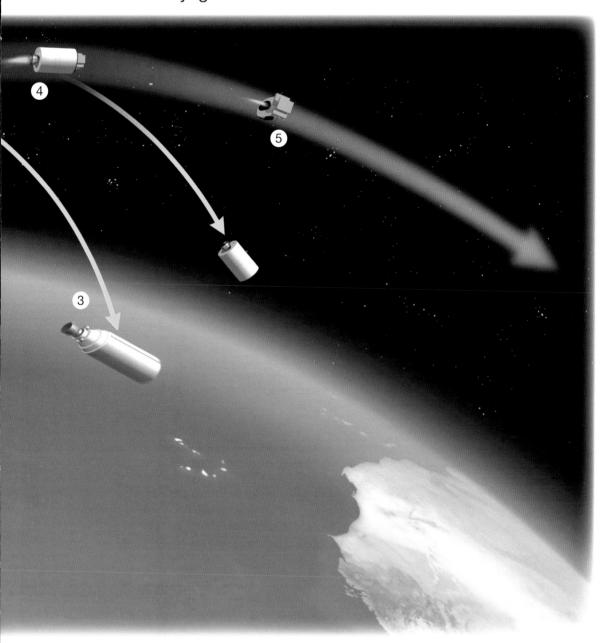

Enfin, le satellite est lâché dans l'espace (5). Il va tourner
en orbite autour de la Terre et commencer à fonctionner.

PRÉPARATION DES ASTRONAUTES

Un voyage dans l'espace se prépare pendant des mois, car les conditions de vie ne sont pas les mêmes que sur Terre et peuvent être traumatisantes.

Les astronautes travaillent et font des exercices dans une piscine pour se préparer à l'absence de gravité dans l'espace. (La gravité est la force d'attraction de la Terre qui retient les humains, les animaux et les objets au sol).

Dans l'espace, il n'y a pas la force d'attraction de la Terre, tout flotte. Les futurs voyageurs doivent s'habituer à supporter l'absence de pesanteur.

Certains voyages dans l'espace se sont mal passés et ont coûté la vie à des astronautes. De nombreuses fonctions du corps sont perturbées. C'est pour éviter d'autres catastrophes que leur préparation est intense.

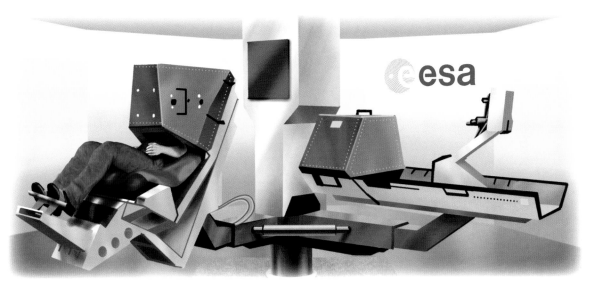

Ces engins appelés centrifugeuses recréent une gravité semblable à celle exercée sur Terre. Ils pourraient être embarqués dans des vaisseaux pour des missions lointaines pour permettre aux astronautes de revenir sur Terre en bonne forme.

Les astronautes s'entraînent à vivre dans un espace réduit, car dans les vaisseaux ils n'ont pas beaucoup de place.

Les astronautes apprennent sur un simulateur à reproduire les gestes qu'ils feront dans le vaisseau.

LA NAVETTE SPATIALE

Contrairement aux fusées, qui ne servent qu'une fois, la navette spatiale est destinée à effectuer plusieurs voyages entre la Terre et l'espace.

Réservoir

Fusées à poudre appelées boosters

Orbiteur

Le réservoir contient le carburant liquide. Les fusées à poudre servent à propulser l'avion spatial, ou orbiteur, qui transporte les astronautes.

DÉPANNAGE DANS L'ESPACE

Les astronautes s'entraînent pour des missions spéciales :
dépanner une station spatiale ou réparer un satellite.

Pour sortir, il faut enfiler un scaphandre, une combinaison très épaisse
équipée d'une visière de protection contre les rayons cosmiques.

L'astronaute, sorti dans l'espace pour effectuer une réparation
sur la navette, a une vue magnifique sur la Terre.

LE VOYAGE DE LA NAVETTE SPATIALE

Contrairement à la fusée, la navette revient sur Terre après sa mission comme un avion, et repart quelque temps après.

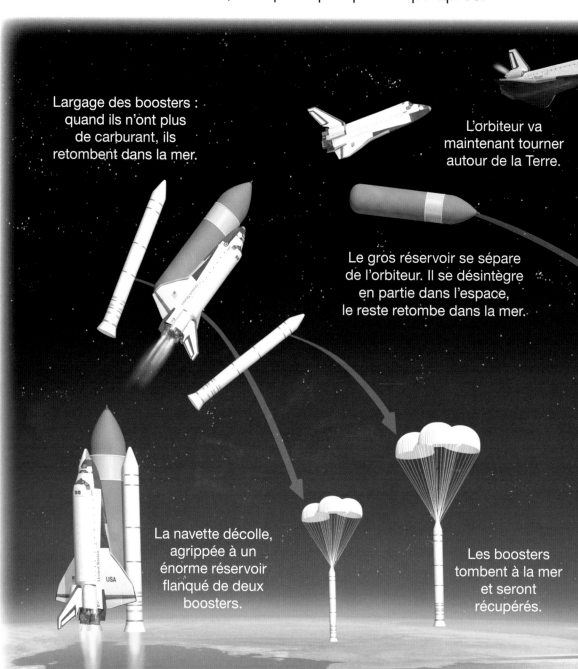

Largage des boosters : quand ils n'ont plus de carburant, ils retombent dans la mer.

L'orbiteur va maintenant tourner autour de la Terre.

Le gros réservoir se sépare de l'orbiteur. Il se désintègre en partie dans l'espace, le reste retombe dans la mer.

La navette décolle, agrippée à un énorme réservoir flanqué de deux boosters.

Les boosters tombent à la mer et seront récupérés.

De son décollage à son atterrissage, le voyage de la navette dans l'espace se déroule en plusieurs étapes. Une mission peut durer entre quelques jours et deux semaines.

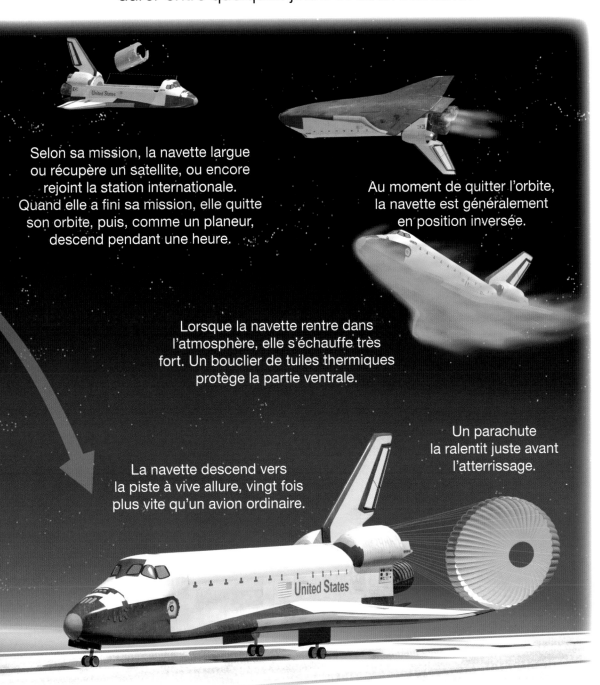

Selon sa mission, la navette largue ou récupère un satellite, ou encore rejoint la station internationale. Quand elle a fini sa mission, elle quitte son orbite, puis, comme un planeur, descend pendant une heure.

Au moment de quitter l'orbite, la navette est généralement en position inversée.

Lorsque la navette rentre dans l'atmosphère, elle s'échauffe très fort. Un bouclier de tuiles thermiques protège la partie ventrale.

Un parachute la ralentit juste avant l'atterrissage.

La navette descend vers la piste à vive allure, vingt fois plus vite qu'un avion ordinaire.

LA STATION SPATIALE INTERNATIONALE (L'ISS)

Ce meccano géant est le plus grand vaisseau spatial construit à ce jour, à 400 km d'altitude. Seize pays du monde ont participé à sa construction.

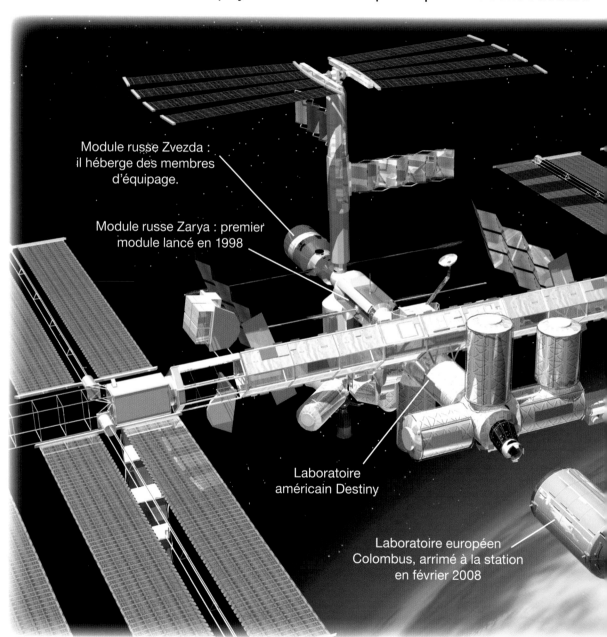

Module russe Zvezda : il héberge des membres d'équipage.

Module russe Zarya : premier module lancé en 1998

Laboratoire américain Destiny

Laboratoire européen Colombus, arrimé à la station en février 2008

L'ISS permettra de mener des expériences scientifiques importantes et d'observer l'Univers. Elle fait le tour de la Terre toutes les 90 minutes.

Cinquante vols de la navette américaine et de lanceurs d'autres pays sont nécessaires pour que tous les éléments de la station soient assemblés. Des spationautes l'occupent en permanence.

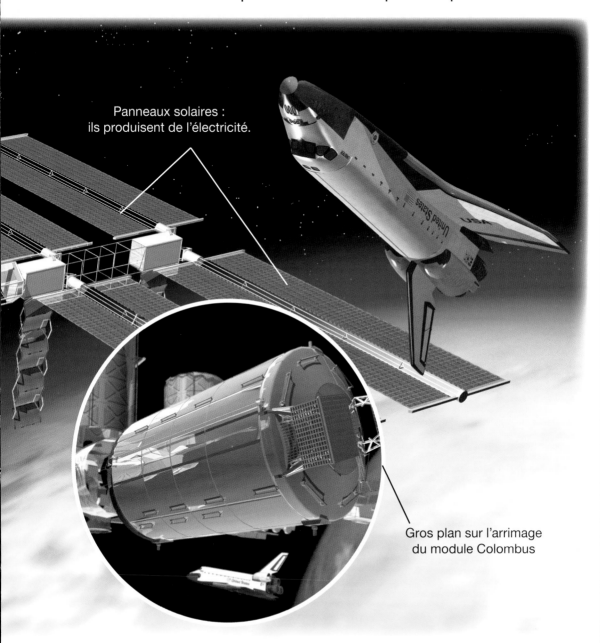

Panneaux solaires :
ils produisent de l'électricité.

Gros plan sur l'arrimage
du module Colombus

Une fois achevée en 2010, la station spatiale internationale devrait mesurer 108 m de long pour 79 m de large (un peu plus qu'un terrain de football).

VIVRE À BORD DE L'ISS

Dans la station internationale, les astronautes séjournent plusieurs semaines. Ils doivent vivre en s'adaptant à l'absence de pesanteur.

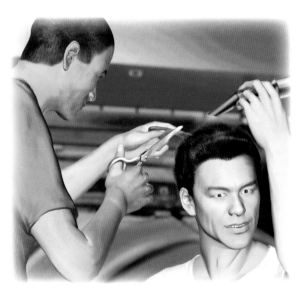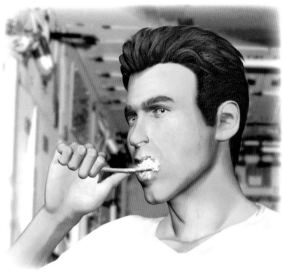

L'aspirateur est indispensable pour que les cheveux coupés soient récupérés avant qu'ils ne s'envolent. Il n'y a pas de douche à bord, on se lave avec des lingettes jetables. On se nettoie les dents avec du dentifrice qui ne se recrache pas.

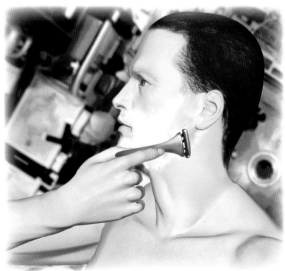

On peut se laver les cheveux, mais pour se rincer, il faut entourer sa tête d'un sac plastique qui retiendra l'eau.

Les rasoirs sont munis de petits aspirateurs pour que les poils ne se dispersent pas partout.

Dans l'espace, les objets n'ont plus de poids : tout flotte dans l'air. De multiples barres et poignées sont installées dans la station pour que les astronautes s'y accrochent pendant qu'ils mangent ou boivent.

Si les boîtes de conserve et les couverts ne sont pas maintenus, ils flottent. Eau et jus de fruits doivent être aspirés dans des sachets avec une paille. Les aliments flottent aussi, il suffit de les pousser délicatement vers sa bouche avec une fourchette.

Dans la station, l'eau ne se disperse pas mais forme de grosses gouttes faciles à attraper et à avaler. Pour dormir, l'astronome s'installe dans un sac de couchage solidement attaché aux parois de la station.

Les astronautes sont habillés confortablement, en survêtement, tee-shirt et chaussettes. L'air est renouvelé par un système d'air conditionné très bruyant, qui oblige les passagers à porter des bouchons dans les oreilles.

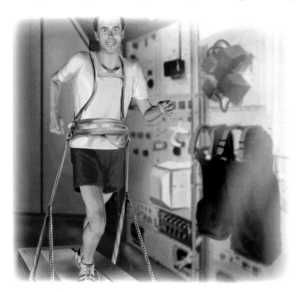

Dans l'espace, les astronautes ont l'impression de flotter : leurs muscles n'ont plus besoin de travailler. Pour rester en bonne forme, ils font plusieurs heures de sport par jour : ils courent sur un tapis roulant et font du rameur.

Pendant les moments de détente, certains photographient la Terre, d'autres lisent ou regardent des vidéos. D'autres encore en profitent pour communiquer avec leurs proches par radio ou mail.

Le séjour dans la station internationale est le lieu de nombreuses recherches et études. Les conditions de vie particulières dans l'espace permettent des expériences qui pourront être utiles sur Terre.

Dans le laboratoire, les cosmonautes étudient les comportements et les réactions du corps humain. Ils élaborent de nouveaux médicaments et des antibiotiques, réalisent de nouveaux alliages métalliques, étudient le développement d'embryons végétaux et animaux dans les conditions du cosmos.

Il faut parfois sortir pour réparer la station. Les astronautes sortent toujours deux par deux, bien à l'abri dans leur scaphandre. Cet équipement pèse sur Terre 100 kg, mais dans l'espace les astronautes ne sentent pas son poids. Il leur faut 3 heures de préparatifs pour l'enfiler.

LES SATELLITES

Les hommes envoient dans l'espace des satellites artificiels,
qui se placent en orbite autour de la Terre.

Les satellites sont de petits laboratoires munis d'antennes et de divers instruments. Ils recueillent et transmettent des informations vers la Terre. Selon leur mission, ils tournent autour de la Terre à des altitudes différentes, entre 200 et 36 000 km.

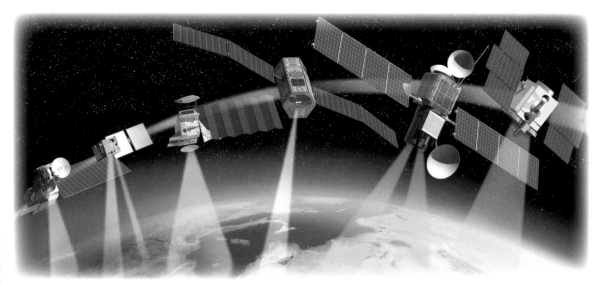

Grâce aux fusées, comme Ariane pour l'Europe, tous les pays du monde peuvent envoyer des satellites dans l'espace. On en compte aujourd'hui près de 500 en orbite autour de notre planète.

C'est grâce aux satellites que l'on peut téléphoner à l'autre bout du monde, communiquer par Internet, prévoir le temps et les catastrophes naturelles comme les cyclones, et même suivre des animaux…

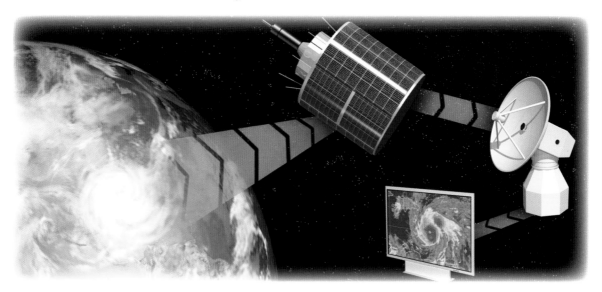

Le satellite Météosat prend une photo d'un cyclone dans le Pacifique. Il envoie l'image aux paraboles de réception, qui la retransmettent à la Terre par le biais de la télévision. Les météorologues peuvent ainsi suivre la trace du cyclone et prévenir les populations.

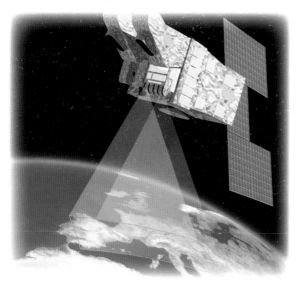

Grâce au satellite Spot, qui filme les quatre coins du monde, on peut découvrir sur Internet la ville et la maison où l'on habite. Ce sont les satellites qui permettent de connaître sur un ordinateur la position d'un véhicule et le guident vers sa destination.

LES SONDES

Une sonde est un engin qui envoie des informations de l'espace vers la Terre. Elle explore des planètes encore inaccessibles à l'homme.

La sonde européenne Mars-Express est en orbite autour de Mars depuis le début 2004. Elle y a détecté la présence de glace et de vapeur d'eau.

module Huygens

Pendant sept ans, la sonde Cassini a parcouru 3 milliards de kilomètres dans le système solaire avant d'atteindre Saturne ! Elle a largué sur Titan, le plus gros satellite de cette planète, le module Huygens, qui a envoyé de superbes images du sol.

UN PROJET DE BASE LUNAIRE

Il est prévu d'établir une base sur la Lune. Peut-être même que des équipages y feront escale avant de rejoindre la planète Mars.

Dans un de ces projets, la base comprendrait des modules d'habitation et des modules laboratoires. Des panneaux solaires fourniraient l'énergie solaire pour s'éclairer et se chauffer.

Ce projet de station sur la Lune serait composé d'habitations gonflables qui pourraient chacune permettre à une douzaine de cosmonautes de vivre et de travailler.

MISSIONS SUR MARS

Après avoir posé le pied sur la Lune, les hommes rêvent de partir à l'assaut d'une planète. Mars pourrait bien être l'heureuse élue.

En mai 2008, l'atterrisseur Phoenix lancé par la NASA s'est posé sur Mars afin d'explorer la région polaire de la planète. À travers ces missions automatiques se préparent des missions habitées vers la planète rouge.

Voici à quoi pourrait ressembler une base martienne. La NASA ne pense pas réaliser ce type de projet avant 2030. De telles missions soulèvent d'importants problèmes techniques à cause de la durée du trajet aller-retour entre la Terre et Mars.

LA VIE EXTRATERRESTRE

Dans notre système solaire, seule la Terre abrite la vie. Mais, dans le reste de l'Univers, d'autres êtres vivants ont peut-être vu le jour.

Longtemps, on a pensé que les extraterrestres voyageaient à bord de soucoupes volantes et pouvaient chercher à prendre contact avec les Terriens.

Des objets volants non identifiés (ovnis) ont été observés dans le ciel, comme ce vaisseau en forme de triangle, à gauche, aperçu dans l'Arizona en 1997, ou cette soucoupe, à droite, repérée au Mexique.

Ces phénomènes restent inexpliqués. Certaines personnes sont persuadées qu'ils sont la preuve de l'existence d'extraterrestres, d'autres suggèrent d'être prudent et cherchent des causes plus rationnelles.

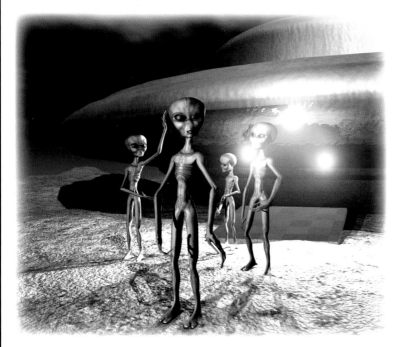

L'imagination humaine a prêté plusieurs apparences aux extraterrestres : tantôt créatures à l'allure impressionnante, tantôt petits hommes verts. L'homme aimerait qu'ils lui ressemblent et qu'ils soient en mesure de communiquer avec lui.

Certains pensent que les dessins tracés sur le sol par d'anciennes civilisations étaient destinés à permettre l'atterrissage d'extraterrestres.

CONNAIS-TU L'ESPACE ?

LE JEU DES SEPT ERREURS

Observe bien ces deux images qui, au premier abord, sont identiques. Trouve les sept différences qui s'y sont glissées.

QUELQUES QUESTIONS

Lis bien chaque question, puis cherche la bonne réponse.
Tu peux t'aider de ton Imagerie de l'espace.

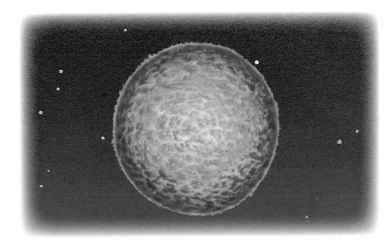

Le Soleil est-il
une étoile ou
une planète ?

Au pôle Nord,
peut-on voir des
aurores boréales
ou des aurores
australes ?

Notre Galaxie
s'appelle-t-elle
la Voie lactée ou
la Voie glacée ?

VRAI OU FAUX ?

Réponds par « c'est vrai » ou « c'est faux » à chacune des affirmations suivantes.

Mars est plus proche du Soleil que la Terre.
Vrai ou faux ?

Neptune est plus grosse que Saturne.
Vrai ou faux ?

Jupiter est la plus petite planète du système solaire.
Vrai ou faux ?

VRAI OU FAUX ?

Réfléchis bien : la Lune est-elle un satellite
de la Terre ou de Mars ?

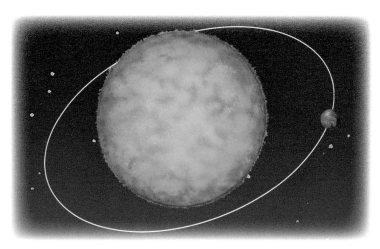

La Terre fait le tour
du Soleil en un jour.
Vrai ou faux ?

Mardi, c'est le jour de
la planète Mercure.
Vrai ou faux ?

La Terre est
aussi appelée
la planète bleue.
Vrai ou faux ?

ES-TU LUNATIQUE ?

Être lunatique, c'est être d'humeur changeante, comme la Lune, qui change souvent de visage. Il existe d'autres expressions.

Ce garçon est de mauvaise humeur : il est mal luné.

Cet enfant voudrait voler. Il demande la lune !

L'écolier au premier rang est dans la lune : il rêve.

Ces jeunes mariés partent en lune de miel.

À LA CHASSE AUX LETTRES

Voici Vénus, la Terre, Saturne et Mars. Chaque planète a perdu une lettre. Retrouve la place des lettres : R, A, U, T.

VÉN_S

TE_RE

SA_URNE

M_RS

LE SAIS-TU ?

Regarde bien ces engins. Lequel va revenir sur Terre et atterrir comme un avion ? La fusée ou la navette ?